BILBO

Collection dirigée par
Stéphanie Durand

De la même auteure chez Québec Amérique

Jeunesse

SÉRIE SOLO
Solo chez Monsieur Magika, coll. Mini-Bilbo, 2010.
Solo chez Mama Marmita, coll. Mini-Bilbo, 2008.
Solo chez Pépé Potiron, coll. Mini-Bilbo, 2006.
Solo chez grand-maman Pompon, coll. Mini-Bilbo, 2005.
Solo chez monsieur Thanatos, coll. Mini-Bilbo, 2004.
Solo chez madame Deux-Temps, coll. Mini-Bilbo, 2003.
Solo chez monsieur Copeau, coll. Mini-Bilbo, 2002.
Solo chez madame Broussaille, coll. Mini-Bilbo, 2001.

SÉRIE DAGMAËLLE
La Pierre invisible, coll. Bilbo, 2010.
L'Île de l'Oubli, coll. Bilbo, 2007.
Les Compagnons des Hautes-Collines, coll. Bilbo, 2006.

SÉRIE ABEL ET LÉO
Le Monstre de la forteresse, coll. Bilbo, 2005.
Le Trésor de la cité des sables, coll. Bilbo, 2004.
Un Tigron en mission, coll. Bilbo, 2003.
Sur la piste de l'étoile, coll. Bilbo, 2002.
Léo Coup-de-vent !, coll. Bilbo, 2001.
Bout de comète !, coll. Bilbo, 2000.

TOP SECRET

Catalogage avant publication de Bibliothèque et Archives nationales du Québec et Bibliothèque et Archives Canada

Bergeron, Lucie
Les trois Jojo
(Bilbo; 191)
Sommaire: 1. Top secret.
ISBN 978-2-7644-1317-3 (v. 1)
I. Roux, Paul. II. Titre. III. Titre: Top secret. IV. Collection: Bilbo jeunesse; 191.
PS8553.E678T76 2012 jC843'.54 C2011-942214-X
PS9553.E678T76 2012

Conseil des Arts du Canada Canada Council for the Arts

SODEC Québec

Nous reconnaissons l'aide financière du gouvernement du Canada par l'entremise du Fonds du livre du Canada pour nos activités d'édition.

Gouvernement du Québec – Programme de crédit d'impôt pour l'édition de livres – Gestion SODEC.

Les Éditions Québec Amérique bénéficient du programme de subvention globale du Conseil des Arts du Canada. Elles tiennent également à remercier la SODEC pour son appui financier.

Québec Amérique
329, rue de la Commune Ouest, 3e étage
Montréal (Québec) H2Y 2E1
Téléphone: 514 499-3000, télécopieur: 514 499-3010

Dépôt légal: 1er trimestre 2012
Bibliothèque nationale du Québec
Bibliothèque nationale du Canada

Projet dirigé par Stéphanie Durand
Révision linguistique: Diane-Monique Daviau et Chantale Landry
Conception graphique et mise en pages: Nathalie Caron

Imprimé au Canada

LUCIE BERGERON

TOP SECRET

ILLUSTRATIONS DE PAUL ROUX

Québec Amérique

À Heidi,
Adèle,
Éva,
Alice,
Boris
et Elsa,
mes jeunes amis d'été.

À leur joyeuse énergie !

CHAPITRE 1

Tout est calme dans la maison des trois Jojo. Joseph, Jonas et Joris dorment encore. Chut! Profitons-en, tandis qu'ils se reposent. Observons-les…

Joseph est l'aîné. Il dort avec sa casquette de capitaine posée sur l'oreiller. Joseph est le chef. Du moins, c'est ce qu'il espère. Il a choisi de s'installer en haut, dans le lit superposé. De sa place, Joseph a l'impression de piloter un gros navire.

Jonas n'a pas eu le choix de dormir dans le lit du bas. Quand on arrive le deuxième, on ne

choisit pas. Son lit ressemble à une hutte dans la jungle. Il s'y sent à l'abri avec ses animaux en peluche tout autour de lui.

Joris, le troisième, dort dans l'autre pièce, la plus petite. Joris est le bébé de la famille. Depuis peu, il a un grand lit comme les autres. On se demande bien pourquoi. Jojo bouge tellement que ses parents le retrouvent chaque matin couché par terre. Joseph et Jonas pensent que Jojo devrait rester dans son lit à barreaux jusqu'à douze ans. Mais leurs parents estiment qu'à quatre ans il est déjà grand.

Peu de gens savent que Joseph a été le premier Jojo de la famille. Papa et maman s'amusaient à lui donner ce petit surnom. Puis Jonas est arrivé, à la grande surprise de Joseph. L'aîné l'appela aussitôt Jojo pour bien marquer qu'il était le plus vieux. Enfin, alors que personne ne s'y attendait, Joris se pointa le bout du nez. Ses deux frères, soulagés, se dépêchèrent de lui refiler le surnom. Et Joris devint Jojo à son tour. Pour toujours. C'est ainsi quand on est le troisième et dernier de sa famille.

Oh! Joseph vient d'ouvrir les yeux. Au lieu de se lever, il reste au lit. Ce n'est pas dans ses habitudes. Joseph, l'aîné des trois garçons, réfléchit à son projet du jour. Un projet ultrasecret! Il fronce les sourcils à la recherche d'une solution. Comment convaincre Jonas de l'aider? Ou même mieux... Comment le convaincre sans qu'il s'en rende compte?

CHAPITRE 2

Dans une famille, il faut toujours une bonne raison pour changer la routine. Joseph, lui, déborde de bonnes raisons pour arriver à ses fins. Après cinq minutes de réflexion, l'aîné des garçons se lève en rejetant sa couverture. Il met sa casquette de capitaine et descend l'échelle qui sépare les lits superposés.

Joseph s'assoit sur le lit du bas en déclarant :

— Jonas, debout ! J'ai besoin de toi.

Une main sort de sous la douillette pour repousser un

gorille géant. Derrière la peluche noire, deux yeux endormis s'entrouvrent.

— Aujourd'hui, on joue un tour à papa et maman! annonce Joseph.

S'il était un peu plus réveillé, Jonas saurait qu'il doit refermer les yeux et se rendormir. Ce serait plus prudent. Mais comme il est encore tout chaud de sommeil, il ne voit pas le danger. Quand on est le deuxième de la famille, on fait toujours trop confiance au premier.

Joseph insiste:

— Dépêche-toi! Il faut se préparer.

La lumière de l'aube filtre entre les rideaux bleus. Jonas se redresse lentement. Il écarte chameaux, tigres et boas pour se faire une place. Puis il s'assoit à côté de son frère. Joseph cale sa casquette sur sa tête d'un air satisfait. Cette fois encore, si Jonas était mieux réveillé, il aurait reconnu le signe. Car l'aîné ajuste toujours sa casquette quand il se prend pour le chef.

À les voir ainsi, jambes ballantes et pyjamas rayés, les deux frères se ressemblent. Il serait si simple pour Joseph d'expliquer à Jonas ce qu'il désire. Malheureusement, la peur du refus le fait reculer. Joseph choisit donc la ruse. Sauf que... L'aîné sous-estime son cadet. Dans ses rêves les plus héroïques, Jonas s'imagine au beau milieu de la jungle, tel un explorateur aguerri. Sous son casque colonial, il flaire toutes les attrapes des chimpanzés dans son genre.

Pour l'instant, la naïveté du plus jeune prend toutefois le dessus. Le manque de sommeil aussi. Alors, quand Joseph lui explique son plan, Jonas écoute, les oreilles grandes ouvertes.

À voix basse, Joseph propose :

— On change de lit, on change de chambre ! Et ce soir, papa et maman vont faire un saut, un saut haut comme ça !

Joseph se lève et s'étire le bras, les doigts tendus vers le plafond. Jonas sourit.

— Ils vont être tout mêlés ! renchérit l'aîné. Au lieu de voir Jojo dans sa chambre de bébé, ils me trouveront à la place.

— Ils vont penser que Jojo a bu de la potion magique pour grandir aussi vite ! lance Jonas, qui éclate de rire.

Joseph rit aussi. De soulagement. Sa ruse fonctionne. Son frère a mordu à l'hameçon.

Profitant de la bonne humeur, Joseph ajoute :

— Pour que notre tour soit parfait, il faut tout déplacer. Tout, tout, tout !

— Pourquoi?

— Euh... parce que...

Joseph hésite. Jonas bâille en attrapant son casque d'explorateur. S'il n'a pas le costume, il a au moins le chapeau. Il affirme :

— On peut juste changer de place. C'est aussi drôle !

La logique du cadet est implacable. Pris au dépourvu, l'aîné bafouille :

— Peut-être... mais... as-tu vraiment envie de dormir sur le matelas où j'ai... pété?

— T'as raison, grand frère! On déménage!

Et ils scellent leur accord en tapant leurs paumes l'une contre l'autre.

Joseph et Jonas se sont enfin entendus. Jonas anticipe le beau tour qu'il va jouer, tandis que Joseph savoure sa première victoire. Mais les deux frères oublient qu'ils ne sont pas seuls dans la maison. Même les meilleurs plans ont leur part d'inconnu. Et parfois le minuscule grain de sable qui s'y cache fait tout dérailler.

CHAPITRE 3

De grandes voiles flottent au vent dans la chambre de Joseph et Jonas. Les deux frères retirent la literie. Perché sur son lit, Joseph agite son drap en criant:

— Tout le monde sur le pont! Hissez la grand-voile! Déroulez la misaine! Hardi, matelots, du nerf, all...

— Chut! Moins fort! Tu vas réveiller papa et maman.

À genoux près de son lit, Jonas lance ses draps derrière lui.

— Pas de danger! réplique Joseph. Le dimanche, ils ont leurs bouchons. Ils les poussent tellement fort dans leurs oreilles qu'ils ressortent par le nez!

— Par le nez?

— Tu n'as jamais remarqué? Pas de chance, petit frère!

Joseph aime bien être l'aîné. Des blagues comme celles-là, il peut en pondre à la douzaine. Son cadet gobe tout. C'est fou comme un an et demi arrive à faire toute la différence. À neuf ans, Joseph est beaucoup moins naïf. Du moins, c'est ce qu'il croit.

— Déroulez la misaine! reprend l'apprenti capitaine.

Déployez le petit cacatois! Le vent souff…

— Joseph, l'interrompt Jonas une fois encore, est-ce qu'un drap-housse a des jambes?

Irrité, l'aîné descend d'un pas lourd.

— Si tu essaies de m'attraper avec tes farces plates, tu as encore des croûtes à manger!

— Ce n'est pas une blague, mon drap a disparu! Puisqu'il ne peut pas avoir de jambes, ça veut dire que…

Les deux frères se regardent dans les yeux en s'écriant:

— JOJOOOOOO!

D'un même élan, ils sortent de la chambre et foncent. Ils bifurquent dans le couloir, entrent dans le salon et s'arrêtent net.

Jojo leur tourne le dos. Comme tous les matins, il porte son casque de vélo. Protection essentielle contre les chutes de lit durant la nuit. Il serre contre lui le drap-housse, qui retombe sur ses pantoufles en forme d'autos de course. Ouf! Les parents ne sont au courant de rien.

Hors de leur chambre, les deux frères se sentent un peu moins en confiance. Joseph passe donc au chuchotement pendant que Jonas s'éclipse.

— Jojo, viens ici!

La réponse tombe comme un coup de ballon sur le nez.

— NON!

— Jojo, ce n'est pas ton drap. Sois gentil, viens voir ton grand frère adoré.

— Tu n'es pas mon grand frère adoré!

Joseph encaisse la remarque sans broncher. Il demeure patient.

— Jojo, si tu me donnes le drap, je te prête ma vidéo d'autos tamponneuses.

— Je l'ai déjà vue!

C'est à ce moment que Joseph perçoit un léger froissement sur sa gauche. Un drap sur la tête, Jonas s'approche à pas de loup. Persuadé que son frère n'arriverait à rien par ses belles paroles, il a opté pour la solution-choc. Pieds nus sur le tapis, Jonas se rend jusque derrière Jojo, qui s'obstine à garder le dos tourné. Il allume sa lampe de poche sous son visage et crie à tue-tête:

— BOUOUOU!

Alors, tout va très vite. Surpris, Jojo se retourne. Il voit l'effrayant fantôme s'agiter et pousser des cris de mort. Il aperçoit la lumière sous le drap qui montre un visage horrible. Jojo se met à hurler, il lâche son butin et déguerpit de toute la force de ses petites jambes de quatre ans.

— Mission réussie ! s'exclame Jonas.

D'un geste souple, le cadet retire son déguisement, puis ramasse le drap-housse. Joseph le félicite, mais il a négligé un petit détail. Jojo est imprévisible! Voilà ce qui peut faire capoter le meilleur des plans! Jojo a eu très peur. Et que fait un garçonnet quand il a très peur...? Je vous le donne en mille: il court se réfugier chez ceux qui possèdent la force suprême et ultime dans une famille. Eh oui, papa et maman!

Bouleversé, Jojo ne fait ni une ni deux. Beuglant de toute la force de ses jeunes poumons, il se précipite vers la chambre de ses parents endormis. Il ouvre la porte sans frapper, court à toute vitesse vers le lit et saute sur le matelas. BOUM! Papa et maman sursautent! Ils rebondissent contre la tête de lit. BANG! Papa se frappe la tête contre le bois dur et maman se cogne sur la tête dure de papa. Ensemble, ils poussent un AH! déchirant de douleur, suivi d'un grognement digne d'un grizzli se réveillant dans un zoo au printemps. GRRRAOwww!

Puis, plus rien. Le silence total.

Pour Joseph et Jonas, c'est mauvais signe. Je vous assure. Dans une famille, quand le plus petit court se plaindre aux parents, les deux plus vieux feraient mieux de disparaître sous le tapis ou derrière les rideaux.

Dans le salon, Joseph et Jonas n'ont que quelques millisecondes pour fêter leur succès, car dans très peu de temps Jojo reviendra triomphant avec papa et maman. Ce serait bien le meilleur moment entre tous pour se cacher sous les draps.

CHAPITRE 4

Les punitions n'ont qu'un seul avantage : parfois, elles nous amènent exactement là où on désirait aller. Joseph et Jonas ont déjeuné d'une tranche de pain grillé, pas de beurre, pas de confiture. Puis ils ont filé vers leur chambre. Papa et maman voulaient qu'ils réfléchissent. Dans une famille, il est interdit, selon eux, d'effrayer le plus jeune, même si, entre nous, cela reste très amusant. Les maîtres du clan avaient même sorti leurs grands mots pendant le repas. À leurs deux plus vieux, ils avaient

parlé de traumatisme pour le benjamin et de séquelles irrémédiables. Allez savoir pourquoi les mots imprononçables paraissent toujours plus terribles. Quoi qu'il en soit, Joseph et Jonas avaient écouté d'une oreille et mangé par la bouche. Dans l'état d'énervement où ils étaient, il est heureux qu'ils n'aient pas fait le contraire.

Dans la chambre, les deux frères se remettent de leurs émotions. Jonas, en bon deuxième de famille, a un léger remords.

— Crois-tu que Jojo a encore peur?

— Pas du tout! As-tu vu son sourire au déjeuner? Il était tellement fier d'avoir réveillé papa et maman.

— En tout cas, il nous a rendu service. Nous allons pouvoir rester ici un bon moment.

— Et sans éveiller aucun soupçon. Es-tu prêt? On bouge les matelas!

L'aîné ne pouvait pas être plus content. Son projet ultra-secret allait bon train: la punition les obligeait à garder la chambre, et son frère était très enthousiaste à l'idée de changer les lits de place. Par chance! Car Joseph n'avait aucune envie de dormir sur le matelas que Jojo mouillait encore. Finalement, tout allait pour le mieux. Les jours de beau soleil, c'est toujours ce qu'on se dit avant de marcher dans une crotte de chien.

Avant de procéder aux changements, Joseph et Jonas mettent un peu d'ordre. Joseph plie draps et couverture sur la chaise à roulettes, pendant que Jonas roule en boule sa literie complète. Les deux frères dégagent aussi l'espace autour des lits superposés. Il ne faut ni casser ni abîmer quoi que ce soit durant les manœuvres. Ce qui est bien quand on est frères, c'est qu'il n'est pas toujours nécessaire de se parler pour se comprendre. Joseph ramasse ses affaires en se disant que si Jonas oublie quelque chose, ce sera tant pis pour lui, et Jonas retire ses objets précieux en pensant que si Joseph laisse traîner un de ses jouets, ce sera bien fait pour lui. De cette façon, dans une ambiance tout à fait fraternelle, la chambre devient nette et sécuritaire.

Satisfait, Joseph déclare, les poings sur les hanches :

— Je suis sûr que je suis plus fort que toi, Jonas.

Oh! Que voilà un vieux truc! Joseph ne manque pas de culot. Et les vieux trucs sont souvent les plus efficaces. Comme prévu, le cadet tombe dans le panneau. Il réplique:

— Toi, tu te crois toujours le meilleur!

— Mais je le suis! Je te parie que je peux faire tomber mon matelas sur le plancher en moins de quinze secondes.

— Moi, je le fais en treize!

— D'accord! Je te mets au défi. Et je le réussis en douze!

Compétitif, Jonas lance:

— En dix pour moi! Tu vas voir, je vais te battre.

— Pfff! Tu rigoles. Tu as des muscles de nouille bouillie.

Sous l'insulte, Jonas devient rouge de colère.

— Bon, je retire mes paroles, dit l'aîné, bon prince. Pour m'excuser, je te laisse même commencer.

Empressé, Joseph approche la chaise à roulettes des lits superposés. Jonas grimpe sur la literie pliée. La couverture de laine chatouille ses pieds nus. Joseph cale sa casquette sur sa tête, puis s'accroupit pour tenir la chaise, car son frère peine à garder son équilibre. L'aîné est convaincu qu'il n'est pas le chef pour rien. Il pense vraiment à tout! Déjà, il a trouvé comment amener son frère à faire le travail à sa place. Maintenant, il protège son investissement en évitant que Jonas tombe. S'il se blessait, cela entraînerait des tas de complications et l'abandon de ses plans ultrasecrets.

Joseph commence le décompte.

— On y va… Un!

— Attends, attends! Je n'étais pas prêt.

— Ah! Tu dis ça parce que tu le sais, que tu n'es pas assez fort! Je m'en doutais, pousse-toi, c'est mon tour!

Joseph fait mine de vouloir se relever. Oh! Le coquin! Il est rusé! Le résultat ne se fait pas attendre.

— Pas question! C'est moi qui vais gagner! affirme un Jonas volontaire. Recommence à compter!

— Un!

Jonas tend ses muscles et appuie ses mains sur le bord du matelas. Le matelas ne bouge pas.

— Deux!... Trois....

Jonas force encore plus. Le matelas se déplace d'à peine un centimètre.

— Quatre...

Pressé d'en finir, Jonas change de technique: il agrippe le rebord du matelas. Se servant de son poids, il tire de toutes ses forces. Le matelas bouge! D'un coup de reins, Jonas se propulse vers l'arrière. Le pied du matelas pivote, puis fait un bond vers l'avant!

Confiant, Joseph ne voit pas le danger qui le guette. Il se permet d'être distrait, tandis que

son frère joue à l'acrobate sur sa chaise à roulettes. Heureusement, et on ne sait pas pourquoi, il y a toujours une bonne fée pour protéger les aînés. Et cette fois, cette bonne fée s'exprime par une voix à bout de souffle.

— Joseph, je... je pense qu'il y a... un problème, dit Jonas.

— Six! s'écrie Joseph avant de tourner la tête vers son frère.

Alors, tout se passe en un éclair. Joseph aperçoit Jonas, bras tendus, dos courbé, tentant désespérément de retenir le... OOOooOOH! LE MATELAS! Il va tomber et Joseph est juste en dessous. Dans un élan soudain, l'aîné lâche tout et bondit sur le côté. La chaise part brusquement vers l'avant. Jonas perd l'équilibre, s'affale sur la literie. Les deux bras sur la tête, Jonas sent le matelas glisser dans son dos. Il pirouette sur son lit et sort de sa cachette en lançant :

— As-tu vu la belle cascade ?

Joseph le relance plutôt par une autre question :

— As-tu entendu un drôle de bruit, toi ? Comme un… couic !

C'est alors que les deux frères regardent à leurs pieds. Le matelas n'a pas complètement touché terre. Un objet a stoppé sa chute. Par expérience, nous pouvons affirmer que cet objet, qui a toutes les apparences d'un casque de vélo, ne vient pas seul et qu'il y a sûrement du Jojo, ou un Jojo, là-dessous.

CHAPITRE 5

Terrifiés à l'idée d'avoir écrabouillé leur petit frère, Joseph et Jonas n'osent pas bouger. Ils se ressaisissent au moment où ils entendent trois petits coups sous le lit du bas et un murmure étouffé. Vite, ils déplacent le matelas vers la droite. Le casque de vélo est bien là, mais il n'y a rien dessous.

Aussitôt, un visage rougeaud surmonté d'un toupet en l'air surgit de sous le lit.

— Fait chaud... murmure Jojo en rampant pour s'extirper de son abri.

Ses frères l'aident à se relever. Heureux d'être le centre de l'attention, Jojo se lance dans un long monologue. Je vous fais grâce de ce qu'il baragouine pour vous résumer ce qui a duré une bonne demi-heure, vu les nombreux détours, les mots mal utilisés et la difficulté de Jojo à se concentrer. Le petit est donc entré dans la chambre en catimini, a essayé de se glisser sous le lit, mais son casque l'en empêchait, il l'a enlevé, puis il a rampé avec les moutons de poussière. Il y en avait partout et... oui, oui, je résume, ne craignez rien, et au moment où il a voulu ressortir, casque au bout du bras, le matelas est tombé. Pourquoi ensuite n'a-t-il pas reculé au lieu de rester sous le lit? Joseph et Jonas ne le savent pas. Ne me demandez pas pourquoi à quatre ans il ne recule toujours pas, mais c'est comme ça!

Joseph et Jonas se sont assis par terre. Quand on a failli assassiner son frère, il faut au moins faire semblant de lui prêter l'oreille.

Main sur le cœur, Jojo termine son récit par la question fatidique:

— Est-ce que je peux jouer avec vous?

— Non, impossible! Nous sommes en punition. Par ta faute, en plus!

Mécontent, Jojo tire la langue à Joseph, qui lui répond par sa plus affreuse grimace.

— Mamaaaaaan! hurle Jojo, et il déguerpit vers la cuisine.

Jonas approuve :

— Bravo ! Tu viens de nous gagner une autre heure de punition.

— Rien de plus facile, matelot ! dit Joseph en ajustant sa casquette. Au travail !

Sur ces paroles, l'aîné se fige sur place, les doigts pincés sur la visière de son couvre-chef. Il croyait pourtant son plan bien huilé. Pour la première étape, mission accomplie! Son matelas s'est retrouvé sur le sol sans qu'il ait à lever le petit doigt. Mais maintenant qu'il faut procéder dans l'autre sens, un problème se pose. Comment Jonas peut-il arriver seul à soulever le matelas du bas jusqu'en haut? Il n'est pas plus bâti qu'un cure-dent.

— Hého! Es-tu dans la lune? demande Jonas.

Oh non! Joseph a même les deux pieds sur terre. Et il se rend compte que c'est avec ses deux bras qu'il va devoir aider son frère.

— Où est ton lasso? réplique l'aîné, préoccupé.

— À la même place que d'habitude.

Joseph ouvre la porte de la garde-robe avec précaution. Des objets de toutes sortes s'entassent jusqu'au plafond : casques de pompier, ballon de plage, roues de tricycle, maisonnette en bâtons de *popsicle*, cape de superhéros et pantoufles à tête de panda jaune et rose. Pour ce dernier article, soyez indulgents, car c'est la maman des garçons qui fait les achats. Tout le monde s'entend pour dire qu'une mère est d'abord une fille et que, depuis la nuit des temps, les filles n'ont pas les mêmes goûts que les garçons.

L'aîné tend la main tout en restant sur ses gardes, car il ne veut surtout pas faire tomber cet échafaudage à l'équilibre instable. Il retire d'abord un gant de baseball, puis une flèche cassée suivie d'une baguette de magicien. Toujours aucune trace du lasso.

À quelques pas derrière son frère, Jonas s'amuse à l'observer. On dirait une version géante de *La montagne maléfique*, ce jeu où toute la pile s'écroule si on retire un mauvais morceau. Le cadet sent son cœur battre très vite. Il a hâte de voir si Joseph va gagner la partie. Son grand frère explore plus avant. Il enlève un long foulard à franges bleu et blanc, souvenir d'une ancienne équipe de hockey. L'écharpe glisse, aussi souple qu'un python entre les lianes. Hé! Le trophée des olympiades pique du nez, mais Joseph le rattrape d'une main et le remet en place. Ouf! Il se retourne, sourire aux lèvres, fier de son exploit, et là...

A
E

PATATRAS ! Tout s'écroule sur Joseph. La montagne maléfique se répand comme une coulée de lave autour de lui. Et devinez ce qui se retrouve sur sa tête ? Un mignon panda jaune et rose !

Heureusement, Jonas a eu le temps de se mettre à l'abri. Comment se fait-il ? Hummm... Il arrive parfois que, devant un danger sans gravité, un garçon n'avertisse pas son frère de ce danger, qui le menace. Que voulez-vous ? Comme on dit chez les ouistitis... « Si le chimpanzé t'amuse, fais-lui plaisir et laisse-le t'amuser encore plus. »

Alerté par le bruit, Jojo pousse la porte de la chambre. Il est là si vite qu'on peut affirmer qu'il regardait par le trou de la serrure.

Son exclamation le confirme, d'ailleurs:

— C't'à cause des p'tites franges bleues du foulard! Elles ont chatouillé la montagne et elle est tombée. Hein, Joseph?

La casquette de travers, Joseph hausse les épaules, découragé. Et qu'est-ce qu'il aperçoit? La main minuscule de Jojo serrant très fort le bout d'une

corde.
Une longue
corde souple et solide tirant un camion de pompier. Le lasso de Jonas!

S'approchant, le cadet s'excuse:

— Oups! Désolé... j'ai dû l'oublier dans le salon, finalement.

Joseph ne veut pas se laisser abattre. D'un ton résolu, il s'exclame:

— Bravo, Jojo! Tu as trouvé ce que je cherchais.

— Tu veux jouer avec mon camion?

— Non, mais avec le lasso de Jonas, oui.

Jojo le dévisage, les sourcils froncés. Un non et un oui dans une même phrase, c'est parfois compliqué pour lui.

— S'il te plaît, Jojo, j'ai besoin du lasso.

Toujours pris au piège, Joseph tend la main tout en se dégageant de sa fâcheuse posture. Des figurines de soldats dégringolent, des cartes de soccer s'éparpillent sur le sol, tandis qu'un ballon de basket tombe sur le plancher, roule vers Jonas, qui le botte vers la bibliothèque.

Le visage de Jojo s'éclaire. Il s'exclame:

— Je sais pourquoi ! Tu en as besoin pour attraper les moutons de poussière sous le lit, hein, Joseph ? Je peux essayer, moi aussi ? Dis oui, dis oui !

Dans un grand soupir, Joseph et Jonas lèvent les yeux au ciel. Ils trouvent que leur petit frère a beaucoup d'imagination. Ils soupçonnent leurs parents de lui lire un peu trop d'histoires abracadabrantes. Les deux plus vieux se disent cependant qu'il serait ridicule de ne pas en profiter.

— Tu as raison, répond donc Jonas, occupé à dénouer le nœud du lasso. Mais les moutons se laissent attraper le soir, juste avant ton dodo. Tu dois être patient.

— Va jouer en attendant ! ajoute Joseph. À ce soir, Ti-Jo !

L'aîné remet le camion de pompier au petit, après avoir récupéré le lasso. Plein d'espoir, Jojo s'élance vers le couloir en criant « Pin-pon! Pin-pon! ».

Joseph et Jonas se regardent d'un air complice. Eux, ils savent bien que les moutons de poussière ne se mettront jamais à bêler. Mais si Jonas est assez naïf pour le croire…

CHAPITRE 6

Joseph a combattu la montagne maléfique pour obtenir le lasso de Jonas, mais au bout du compte la corde ne lui est d'aucune utilité. Son idée d'enlacer le matelas avec le lasso, comme s'il s'agissait d'une baleine, puis de demander à Jonas de tirer le matelas jusque sur le lit du haut, comme s'il était un cowboy chassant la baleine dans une chaloupe, s'est vite révélée irréalisable. Et pourquoi?

D'abord, parce que Jonas est pour la protection de la baleine bleue et de tous les autres

mammifères marins. Chasser la baleine, très peu pour lui! Deuxièmement, parce qu'il est près de midi. À cette heure, Jonas est très bien réveillé et les combines

de son aîné pour l'obliger à travailler seul lui sautent aux yeux, tel un macaroni dans un plat de riz.

Accoudé à la table de la cuisine, Joseph se désole. Il grignote son tofu frit, en se répétant que son idée était pourtant géniale. À ce propos, avez-vous déjà pensé au nombre d'idées géniales qui finissent à la poubelle? Joseph est malheureux de tout cela, d'autant plus qu'il a mal aux épaules d'avoir tant forcé pour grimper ce fichu de matelas sur le lit superposé. Désabusé, il fait sienne cette déclaration de l'inventeur de la machine à laver les boutons de chemise: «Les grands génies sont incompris, en particulier, moi».

L'arrivée du dessert sort l'aîné de sa rêverie. L'effet est spectaculaire! Après trois biscuits au beurre de pistaches, Joseph est d'attaque pour mener à bien son plan. Quant à Jonas, il est déjà reparti vers la chambre, car il voulait installer sa meute de peluches sur le lit du haut.

Assis dans sa minuscule chaise berçante, Jojo se balance en fixant l'horloge. Depuis la fin du repas, il demande à tout bout de champ :

— C'est quand, le soir? C'est quand, le dodo?

Sans répondre, Joseph quitte la cuisine. Franchement ! Ce n'est pas à lui d'expliquer à Jojo que les moutons de poussière ne sont pas de vrais moutons. Que ses parents prennent leurs responsabilités !

Joseph entre en trombe dans la chambre. Les bras croisés, Jonas déclare :

— Je ne veux plus dormir en haut !

Surpris, l'aîné s'étouffe avec la dernière bouchée de son quatrième biscuit.

— Heu! Pour-pourquoi?

— J'aime mieux dormir en bas, c'est tout.

— Même pas ce soir?

Obstiné, Jonas secoue la tête.

— Mais à quoi tu penses? s'écrie son aîné. Tu as ton matelas, j'ai même installé tes draps.

— Là-haut, c'est ton navire. Moi, c'est ma hutte que je veux. Mes animaux se sentent perdus sans elle.

Joseph constate alors que les peluches ont été jetées pêle-mêle sur le lit. Jonas ne s'est pas donné la peine de les disposer en demi-cercle autour de son oreiller, comme il le fait chaque matin.

Le grand frère réfléchit. Il trouve d'ailleurs qu'il n'a jamais autant réfléchi qu'aujourd'hui. Il se tâte le front et les tempes. Non, il n'a pas mal à la tête. Pourtant, c'est toujours ce que son père prétend après avoir passé la journée à réfléchir aux problèmes de son magasin. L'aîné en tire ces deux conclusions : d'abord, quand on est vieux, il faut cesser de réfléchir, puis pour atteindre ses objectifs, il faut y mettre du sien. Joseph n'a guère le choix. Il propose donc :

— Donne-moi quinze minutes et tu te sentiras chez toi. D'accord ?

Jonas acquiesce. Joseph se met aussitôt à l'ouvrage. Il court d'un coin à l'autre de la pièce pour ramasser son matériel. Au centre de la chambre, il dépose un bâton de baseball, une canne à pêche sans fil, des bouts de ficelle, une canne en bonbon géante, quatre gros élastiques bleus, un rouleau de carton pour les affiches et son drap à fleurs de lilas garni de dentelle. Oui, de la dentelle! Je l'ai dit tout à l'heure. C'est la maman qui s'occupe des achats, et cela comprend aussi la literie.

L'aîné grimpe sur le lit du haut. Il prend en charge l'opération comme un chef. Il ne demande l'aide de Jonas que pour lui passer son butin. Joseph attache avec la ficelle les deux cannes, le bâton de baseball et le rouleau de carton aux différents coins du lit. Puis, déplaçant l'échelle d'un côté et de l'autre, il dépose son drap fleuri sur le dessus des quatre supports. Finalement, il fixe sa tente improvisée avec les gros élastiques pour que le drap ne glisse pas et reste bien en place sur le lit du haut.

Joseph saute sur le plancher en s'exclamant :

— Tadam ! La hutte de Monsieur est prête !

Jonas ne souffle mot. Les yeux ronds, il admire sa hutte de luxe.

— Es-tu content ? s'inquiète Joseph devant ce silence.

— Elle est plus belle qu'avant ! Tu es vraiment fort, Joseph.

Sans attendre, le cadet grimpe jusqu'à son nouveau logis. Il invite l'aîné, fier comme un paon, à le rejoindre. Les deux frères s'échangent un immense sourire.

Assis sous le drap bien tendu, les joyeux comparses sont aux oiseaux. Mais attention! La joie est parfois fragile comme plume au vent dans une famille. Ainsi... Si je compte à rebours, cinq... quatre... trois... deux... un!

Faites de la place! Jojo entre en scène! Oserais-je abuser encore de mon pouvoir de conteur? Mais oui, pourquoi pas! Alors, rebroussons chemin un peu.

Vous vous doutez bien que le petit n'a pas tenu longtemps devant l'horloge de la cuisine. Comme à son habitude, Jojo s'est glissé en douce, et protégé par son casque, dans la chambre des plus vieux. La drôle de petite maison sur le lit du haut l'a subjugué. Une force impérieuse l'a poussé à monter dans l'échelle. Arrivé là-haut, il a glissé sa tête sous un pan de la hutte, puis repéré, droite et alléchante, la canne en bonbon géante. C'est juste après ce moment que Joseph et Jonas sont tombés de leur nuage de béatitude, puisque... à cinq... quatre... trois... deux... un!

Avec toute la force de ses quatre ans, Jojo mord à pleines dents dans la canne rouge et blanche, friandise conservée avec amour depuis six Noëls. Rappelons que cette canne antique est l'un des piliers de la hutte de Jonas et l'un des instruments essentiels à la réussite du plan de Joseph.

L'attaque de Jojo est vigoureuse et la secousse, impressionnante. Ses mâchoires de dents de lait enserrent le bonbon, comme si rien ne comptait davantage que de produire la carie du siècle. Heureusement, ses frères connaissent les pratiques de leur dentiste et ils sont assez généreux pour protéger leur benjamin de ses griffes. En chœur, ils hurlent donc :

— LÂCHE ÇA, JOJO !

Les lèvres couvertes de miettes de sucre, Jojo déclare :

— C'est super bon ! Donne-moi un morceau !

Joseph et Jonas se consultent du regard. L'heure est aux grandes décisions : l'équipe de choc doit s'agrandir.

— Viens près de nous, lui dit l'aîné, nous avons un secret à te confier.

Ravi, le petit Jojo ne se le fait pas dire deux fois. Avez-vous déjà vu un enfant de quatre ans voler de bonheur ? C'est rare, mais aujourd'hui je pense que Jojo a réussi cet exploit, tellement la confiance que lui accordaient ses deux grands frères lui a donné des ailes.

CHAPITRE 7

Sous le dôme fleur de lilas, trois garçons conspirent. Les frères Lachance scellent un pacte. Tendons l'oreille pour bien entendre leurs chuchotements. D'abord, le premier commentaire vient de Jojo, qui marmonne :

— Fait chaud…

Suit un grognement d'impatience et Jonas soulève légèrement un pan de la hutte pour permettre à l'air d'entrer.

Joseph dit :

— Lève ta main, Jojo ! NON ! Pas comme ça ! Tu vas faire

tomber le drap… Tiens, comme si tu levais la main pour dire bonjour…

— Les doigts dépliés, précise Jonas, comme de petits soldats au garde-à-vous.

— Bravo, c'est parfait! le félicite Joseph. Maintenant, répète après moi, Jojo. Et toi aussi, Jonas.

Un moment de silence s'ensuit. Ce n'est pas tous les jours, et je me demande même si ce n'est pas le premier, que les frères Lachance décident de conclure une alliance. À la place de leurs parents, je me précipiterais dans la chambre et trouverais au plus vite une bonne raison de leur proposer une visite éclair au bar laitier ou un tour dans les manèges, car, si ce pacte se réalise, les pauvres adultes de la maison n'auront plus un seul dimanche tranquille. Des bouchons d'oreilles gros comme des siphons de toilette ne réussiront pas à leur apporter la quiétude. Mais les parents sont toujours occupés ailleurs et, de toute façon, ils n'ont pas l'ouïe assez fine pour déceler un complot. Heureusement, me direz-vous, sinon quel plaisir y aurait-il à être un enfant?

D'une voix grave, Joseph le chef déclare:

— Écoutez et répétez! Je jure sur ma vie… et sur ma tête de lit.

— Quoi?

— Tais-toi, Jonas, et répète!

— Ben, là, décide-toi, Joseph! Comment veux-tu que je répète, si tu dis de me taire?

Le soupir d'impatience de l'aîné est si puissant que le dôme lilas se gonfle sous la pression de l'air chaud. Tandis que le drap se replace, Joseph reprend :

— Je jure sur ma vie… et pour l'éternité.

— C'est quoi, l'éternité? Hein, Joseph?

— Je t'expliquerai plus tard, Jojo. Répète et…

— Tais-toi! complète Jonas, moqueur.

— Ah! toi, tu m'énerves!

Concilier les trois hommes forts de la famille Lachance n'est pas donné d'avance. Les deux plus vieux se croisent les bras d'un air buté, tandis que Jojo recommence à saliver en imaginant ses mâchoires se refermer sur la canne en bonbon géante.

Tout à coup, le benjamin a une poussée de croissance inattendue et il propose, d'un ton bien sage pour son âge:

— Faisons la paix, la guerre ne mène à rien.

Joseph et Jonas le dévisagent, étonnés. Ce moment de surprise a tout de même pour effet de ramener les trois garçons à leur objectif prioritaire. Joseph reprend la parole:

— On la refait et c'est la bonne!

— Hé! J'ai entendu ça dans un film. Tu te rappelles, Jo...

Impossible de le confirmer, mais je crois qu'à cet instant Joseph a lancé son regard de capitaine de *destroyer* pour signifier à son frère que c'était leur dernière chance de s'entendre avant l'année prochaine. L'aîné reprend la parole et, cette fois, tous répètent avec application, comme des enfants à la garderie.

— Je jure sur ma tête, sur ma vie... et sur les moutons de poussière sous le lit.

J'ouvre une petite parenthèse pour signaler que ce dernier élément est un ajout de Jojo.

— Je jure solo... euh... sola... solennel...lement, précise Joseph après quelques hésitations, de respecter les règles. Je ne dirai rien ni à papa ni à maman ni aux deux que nous voulons leur jouer un tour. Je ne parlerai ni à papa ni à maman ni aux deux que nous allons changer de lit. Je ne dévoilerai ni à papa ni à maman ni aux deux que nous allons tout changer de place avant la nuit.

Joseph ajoute :

— Si vous acceptez les règles du pacte, crachez dans votre main et essuyez-la sur le pantalon du voisin.

Quelques raclements de gorge plus tard et on entend l'aîné s'exclamer:

— OUACHE! Vous n'étiez pas obligés de le faire tous les deux sur mon pantalon!

— Tu n'avais qu'à le dire! rétorque Jonas. C'était à droite ou à gauche?

— Moi, je ne les démêle même pas, bougonne Jojo.

Mais il n'est plus temps de se disputer. Les frères Lachance doivent élaborer leur stratégie, puisqu'un défi de taille les attend. Comment transporter tous les objets, y compris les matelas, sans éveiller les soupçons de leurs parents? Joseph cherche des solutions avec ses frères. Cependant, il y a un bref instant où il se rappelle que toute cette aventure a un sens caché que lui seul connaît et qu'avec l'acceptation de ce pacte il s'est enfoncé encore plus dans le mensonge et la dissimulation. Malheureusement, la grande roue de la tromperie va de plus en plus vite et il n'est plus question d'en sortir pour sauter.

CHAPITRE 8

Depuis le berceau, Joseph a une passion pour les bateaux. Tout jeune, il fredonnait dans son bain *Maman, les p'tits bateaux* et inondait le plancher en bougeant les pieds comme une hélice de transatlantique. Son lit s'est transformé en paquebot, sa bibliothèque s'est garnie d'autocollants de voiliers. Et tous les ans, à Noël, il chante *Il était un petit navire* à la parenté.

Il est donc tout naturel qu'il puise dans ce riche répertoire pour trouver une bonne idée. Dans la chanson du petit navire, le mousse est condamné, faute de provisions, à être servi en rôti à ses compagnons affamés. C'est le hasard, ou plus précisément le jeu de la courte paille, qui a fixé le sort du pauvre matelot. Surtout, pas d'inquiétude ! Joseph n'a rien d'un cannibale. Il veut simplement s'en remettre au hasard pour décider qui sera le premier des trois frères à se jeter dans la gueule du loup.

L'aîné écrit donc le prénom de chacun sur trois bouts de papier, puis les dépose dans le casque colonial de Jonas, qui a bien voulu l'enlever. Le cadet accepte le tirage au sort, même s'il sait que, dans sa famille, le hasard n'est guère fiable. Car on dirait que c'est toujours lui que le hasard choisit quand il s'agit d'accomplir les tâches désagréables. Jojo, lui, profite de la manœuvre pour toucher à tout dans la chambre de ses grands frères. Il a si peu souvent la permission d'explorer cette caverne d'Ali Baba.

Le verdict tombe sans surprise et le hasard ne fait pas mieux : c'est Jonas qui doit distraire papa et maman en premier. Souriant, Joseph ajuste sa casquette. Cet air satisfait cacherait-il une attrape? Joseph aurait-il forcé la main du hasard? Jonas n'ose même pas y penser, puisque cela l'obligerait à remettre en question tous les autres tirages au sort depuis sa naissance. Résigné devant sa mauvaise fortune, Jonas coiffe son casque colonial, redresse les épaules et sort de la chambre.

Joseph et Jojo se précipitent pour écouter par l'embrasure de la porte. Ils entendent leur frère déclarer:

— Papa, maman! J'ai besoin de vous!

La réponse des parents reste inaudible. Jonas ajoute:

— J'ai une présentation orale à faire sur... sur... euh...

Le cœur de Joseph s'emballe. Jonas va-t-il trouver un bon argument?

— Vite, dis quelque chose! souffle l'aîné.

— ... sur les espèces de singes! Pouvez-vous venir m'écouter dans le salon?

La demande ne déclenche pas l'enthousiasme, puisque Jonas doit insister:

— S'il vous plaît... Papa jouera le rôle de mon enseignant, et maman, celui de la directrice. Ça fera plus vrai.

Papa et maman aiment bien profiter de leur dimanche pour se détendre, mais ils ne peuvent résister à une mise en scène aussi alléchante. Quand ils étaient petits, ils aimaient bien jouer à l'école. Les deux parents accompagnent donc leur fils au salon.

— Bravo, Jonas! murmure l'aîné, avant de faire signe à Jojo qu'il est temps de se presser.

Joseph remplit en vitesse son sac à dos avec ses objets précieux, puis il l'installe sur le dos de Jojo. Le petit courbe l'échine sous le poids, mais il ne se plaint pas. Il est trop content de faire partie de la troupe.

Comme il veut tout déménager, Joseph vide le premier tiroir de sa commode et en enfouit le contenu sous son chandail de laine rouge. Jojo rigole. Il trouve qu'avec ce ventre énorme, son grand frère ressemble au père Noël. L'aîné doit lui faire les gros

yeux pour qu'il retrouve son sérieux. Traverser l'étage incognito demande certaines précautions.

Joseph le chef passe devant. Sur la pointe des pieds, il franchit le couloir. Tout à coup, un joyeux **hihi!** fuse derrière lui. Le chef se retourne. La main sur la bouche, Jojo se retient pour ne pas éclater de rire. Sur le sol, Joseph a semé bas et bobettes. L'aîné lève les bras en l'air, impatienté. Du coup, tout ce qui restait sous son chandail tombe à ses pieds. Une avalanche de caleçons rayés! Les joues gonflées à bloc, Jojo laisse échapper un sifflant **hihihihihi!** Au grand désespoir de Joseph, ce cri suraigu ne passe pas inaperçu.

— Quel est ce bruit? demande papa, de l'autre côté du mur.

— **Hi, hi, hi!** C'est le cri du macaque! répond Jonas du tac au tac. J'avais pensé faire des bruits pendant ma présentation. Bonne idée, non?

— Peut-être... réplique maman. Mais es-tu certain qu'il s'agit bien du macaque?

— Oh! Je me suis trompé. C'est le cri du ouistiti. Merci!

Joseph soupire de soulagement. Son frère est d'un naturel! Il a inventé cette histoire de présentation orale en un claquement de doigts, et ses parents y croient. De toute évidence, Jonas est un allié de première classe.

En silence, l'aîné ramasse ses vêtements, puis continue sa traversée de l'étage. Il atteint la petite chambre de Jojo sans autre tracas. Le plus jeune, qui le suivait, arrive en disant:

— Ils étaient par terre.

Jojo a glissé ses mains dans une paire de bas verts et enfilé un caleçon rayé sur son casque de vélo. Il tend les bras vers son aîné. Au moment où Joseph veut reprendre ses bas, Jojo retire sa main droite et, l'agitant telle une pince, il lance d'une voix nasillarde:

— Coucou, Jojosette! Tu as perdu ta belle bobette?

Estomaqué, l'aîné ne trouve rien à répondre. Il fixe le bas marionnette, qui ouvre grand sa bouche verte. Joseph trouve que son frère est un peu bizarre. Il hoche la tête, pensif. Décidément, le dernier de la famille passe beaucoup trop de temps devant les émissions de télé éducatives.

CHAPITRE 9

Le retour à la case départ se fait sans encombre. Joseph et Jojo regagnent la chambre principale au moment où Jonas termine sa présentation.

— Ouf! s'exclame le cadet en les rejoignant. Papa et maman sont exigeants! Fais une pause, prononce mieux... Ils n'arrêtaient pas!

— Tu as été épatant! le félicite Joseph. Prêts pour un autre tirage au sort?

Cette fois, l'aîné utilise sa casquette de capitaine pour déposer les petits papiers. Sans grande surprise, le hasard désigne Jojo. Jonas jette un regard suspicieux à Joseph. Il trouve qu'il échappe souvent aux corvées.

Le plus vieux prend le benjamin par les épaules et déclare d'un ton grave :

— Ta mission est d'occuper papa et maman, aussi longtemps que possible. As-tu compris?

— Oui, chef! répond Jojo.

— Pendant combien de temps?

— Euh… j'ai oublié…

— Aussi longtemps que possible, répète son frère.

— C'est long comment, ça?

Joseph s'accroupit pour regarder son frère dans les yeux.

— C'est aussi long que le soir quand tu mènes en bateau papa et maman pour ne pas aller te coucher. D'accord?

Un sourire candide s'épanouit sur le visage du plus jeune. Il a tout compris! Sans plus attendre, Jojo resserre la sangle de son casque de vélo, puis détale en criant:

— Maman! Papa! Il y a une araignée dans le salon! Elle m'a mordu! J'ai peur, ça fait mal, ça brûle! Papaaaaaaa!

Joseph et Jonas entendent un bruit de pas précipités vers le salon, puis...

— Elle est là! Non, là! Là, Papa! Maman, prends-moi, j'ai peur! Là, dans le coin! Non, l'autre!

Des bruits de meubles qu'on déplace sont le signal pour Joseph et Jonas qu'ils ont maintenant le champ libre. Jojo occupera leurs parents le temps voulu. Les deux plus vieux n'osent pas le dire tout haut, mais ils trouvent bien commode d'avoir un petit frère de quatre ans aussi débrouillard.

— Prends ma couverture, mon pyjama et mes pantoufles, dit Joseph à Jonas. Moi, j'apporte l'oreiller… et d'autres petites choses.

Tandis que son frère rassemble les différents articles, l'aîné en profite pour bourrer sa taie d'oreiller de t-shirts. En écrasant son oreiller au maximum, il parvient à vider un autre tiroir de sa commode. Joseph reste discret, car, si Jonas se rend compte de ce qui se passe, il va sûrement poser des tas de questions. Et Joseph n'est pas sûr d'avoir toutes les réponses.

Jojo est si convaincant dans son rôle d'enfant apeuré que ses deux frères circulent dans la maison sans souci. Papa et maman ne voient plus que lui. Pour une fois, les plus vieux s'en réjouissent. Mais à d'autres moments, ils se sentent un peu négligés, car ils ont l'impression que le bébé de la famille monopolise toute l'attention de leurs parents. Après mûre réflexion, et plusieurs années d'observation, j'en viens à la conclusion qu'ils ont tout à fait raison!

À la fin, Jojo se prend tellement à son jeu que Joseph et Jonas sont obligés d'aller le chercher dans le salon pour mettre fin à ses inventions. Papa et maman sont affalés sur le canapé, épuisés par leur course à l'araignée croqueuse de chair. Ils sont si heureux de voir leurs deux plus vieux venir les délivrer qu'ils leur promettent une crêpe Suzette pour le dessert. Joseph et Jonas n'ont pas la moindre idée de ce que c'est, mais ils ont pour devise de toujours répondre oui au mot dessert. Ils s'en retournent donc à leur chambre, le sourire aux lèvres.

Cette promesse sucrée ne brouille tout de même pas l'esprit de Jonas au point de ne pas voir l'entourloupe que lui prépare son grand frère. Car au moment où Joseph dépose les trois prénoms dans sa casquette, une voix s'élève :

— Minute, là ! Jojo et moi, on a fait notre part. C'est ton tour !

Voilà ! Je l'avais dit plus tôt que Jonas était futé. Dans sa jungle imaginaire, il déjoue avec adresse les mauvais tours des

singes et
autres ouistitis. Bon, d'accord, Joseph a beaucoup plus d'intelligence, et de moins grandes oreilles, qu'un chimpanzé. Mais dans ses rêves les plus fous, Jonas voit souvent un grand

singe avec une casquette de capitaine sauter de branche en branche. Ainsi, la petite manigance de son aîné n'est pas passée inaperçue. Il est hors de question que le hasard décide encore. Joseph doit participer.

L'aîné avale sa salive de travers : il a mal calculé son coup. Jusqu'à maintenant, Joseph a transporté de menus objets, oubliant la pièce de résistance, qui est son matelas. La meilleure astuce aurait été de profiter de la prestation de Jojo pour le déplacer. Une chaloupe aurait pu traverser le couloir sans que ses parents s'en aperçoivent! Maintenant, Joseph doit inventer une raison, ou un si gros mensonge, que ses parents seront totalement accaparés par son problème.

Le garçon à la casquette se ronge les ongles. Au réveil, Joseph ne croyait pas que son projet prendrait autant d'ampleur. Il doit marquer un grand coup, mais il hésite. Son objectif, dont ses frères ignorent tout, mérite-t-il autant de sacrifices?

La réponse est oui. Alors, Joseph ouvre son sac d'école et en retire quelques feuilles agrafées. Un moment, il admire la magnifique note de 90 % qui trône sur la première page. Puis dans un geste d'abnégation, il applique une larme de liquide correcteur sur le chiffre 9. Ses deux frères gardent un silence respectueux durant l'opération. Joseph retire sa casquette de capitaine. Il ne mérite pas de porter ses attributs de chef après une telle chute.

Le cœur gros, il se traîne les pieds jusqu'au salon, où il annonce d'une voix faible :

— Papa, maman, j'ai une mauvaise nouvelle.

De la chambre, Jonas et Jojo entendent un grognement : leurs parents croyaient avoir droit à une petite sieste.

Joseph ajoute :

— Je ne comprends pas ce qui s'est passé, mais…

Une exclamation du tonnerre ébranle la maison :

— DIX POUR CENT ! Tu as obtenu DIX POUR CENT !

C'est le signal pour Jonas et Jojo. Le cri de surprise crée une vague d'énergie dans toute la maisonnée et les deux frères

trouvent, on ne sait où, la force de hisser le matelas sur la planche à roulettes de Joseph. Galvanisés par la réaction excessive de leurs parents, ils poussent la bête dans le couloir et entreprennent la dangereuse traversée.

Pendant ce temps, Joseph vit un véritable calvaire. Il sait bien qu'il a mérité 90% à son examen,

mais il doit agir tout autrement pour convaincre ses parents. Il ressent sa peine d'avoir failli avec tant de conviction que son moral tombe à plat. L'aîné a du chagrin, il est au bord des larmes. Et franchement, ses parents ne font rien pour le soulager.

Au contraire, c'est la tempête!

— Ça n'a aucun bon sens! clame sa mère.

— Où avais-tu la tête? lance son père.

— Sur les épaules? répond Joseph, mal à l'aise.

— L'humour n'a pas sa place ici, mon garçon.

Papa a sorti sa grosse voix pour réprimander son fils. Maman enchaîne:

— Avais-tu étudié, révisé, écouté en classe?

— As-tu bien vu, lu, relu les questions? insiste papa.

Joseph n'arrive qu'à murmurer un oui du bout des lèvres. Il ne pensait jamais se retrouver au centre d'une telle tornade. Les questions continuent de pleuvoir sur sa tête. On demande des précisions, des explications. On exige des promesses, de meilleurs résultats, une rencontre avec l'enseignant, la directrice, l'orthopédagogue même!

À bout de souffle, ses parents poussent un dernier cri déchirant:

— Te rends-tu compte? Dix pour cent, Joseph!

— De toute mon existence, je n'ai jamais vu un si mauvais résultat! se désole sa mère.

— Même ton arrière-grand-père, qui a dû quitter l'école avant même d'y être allé, n'a jamais eu une note semblable!

Joseph fronce les sourcils. Il relève la tête. Ses parents se sont effondrés sur le canapé, une main sur le front. Même s'il a l'impression d'avoir dégringolé jusqu'au huitième sous-sol, l'aîné garde l'esprit clair. Et il trouve que quelque chose cloche dans l'ultime réprimande de son père. De constater qu'il est toujours aussi intelligent, et avouons-le, plus que ses parents, lui remonte le moral et lui fait quitter le salon la tête haute.

CHAPITRE 10

La porte de la petite chambre est close. Joseph appuie son oreille contre le bois blanc. Il ne perçoit aucun bruit. Ses frères ont-ils réussi à transporter le matelas? L'aîné était tellement absorbé par son numéro de tragédie scolaire qu'il n'a rien vu. Il tourne la poignée, pousse la porte…

— HOURRA ! s'écrient Jonas et Jojo, les bras en l'air.

Debout sur le matelas posé par terre, les deux frères accueillent Joseph avec enthousiasme. Ils ont réussi ! C'est l'accolade ! On se prend par la main, on fait une ronde, on chante ! HÉ ! HO ! Nous avons affaire à trois garçons. La petite chanson, la ronde, c'est pour les filles, ça ! Les frères Lachance préfèrent sauter à pieds joints sur le matelas, jusqu'à ce que Joseph s'arrête en plein vol pour crier :

— Stop ! On n'a pas fini !

Les bonds s'arrêtent dans un nuage

de poussière que le soleil couchant éclaire. Joseph affirme :

— Vous avez fait du beau travail, les gars... sauf qu'il faut aussi transporter le matelas de Jojo vers l'autre chambre.

— Je n'ai plus d'énergie, soupire Jonas.

— Plus d'énergie, reprend Jojo, qui imite la mine déconfite de son frère.

Joseph n'a pas l'intention de s'arrêter si près du but. Il déclare :

— Papa et maman sont épuisés. Je crois être capable d'y arriver seul. Préparez-vous à les distraire, au cas où…

Rassemblant ses forces, Joseph empoigne le matelas et en soulève un coin. Un cri déchirant jaillit :

— ARRÊTE !

Joseph se raidit. Son dos craque.

— Pourquoi tu bouges mon matelas ? s'inquiète Jojo.

Son frère se retourne, surpris.

— Je viens de te le dire.

— Dire quoi ?

— On déménage ! Je le déplace pour l'apporter dans mon ancienne chambre.

Jojo secoue la tête avec vigueur.

— NON ! Tu n'y touches pas !

— Pourquoi fais-tu ton bébé ?

— Celui qui le dit, celui qui l'est ! rétorque Jojo, les bras croisés.

Joseph rouspète :

— Tu as prêté serment ! C'est le jeu !

— Tant pis ! Moi, je ne joue plus ! réplique le petit en se jetant à plat ventre sur son lit.

Joseph serre les dents. Il faut pourtant qu'il arrive à bouger ce matelas ! Il tire sur les jambes de son frère. Jojo s'agrippe aux draps. L'aîné tire encore plus fort. Jojo se trémousse, gigote comme un ver dans le vinaigre. Joseph reçoit un coup de pied

dans le ventre, il recule. Son frère recommence. Joseph essaie de lui attraper les bras. Il lance :

— Jonas, aide-moi !

Mais son frère cadet ne bronche pas. Le doute vient de s'installer dans son esprit. Et quand le doute nous visite, plus rien n'a d'importance. Jonas a entendu trois mots, qui ont allumé sa lanterne d'expert en entourloupettes. Ce bout de phrase, de prime abord banal, a été prononcé par Joseph dans le feu de l'action. Les trois mots se sont échappés en catimini, comme s'ils cherchaient une porte de sortie depuis longtemps. Ils ont vu le jour, sans même que leur auteur ne s'en rende compte. Ainsi, Joseph a dit : « Mon ancienne chambre... »

Alors, Jonas se demande pourquoi. Pourquoi son frère parle-t-il de sa chambre comme d'un lieu qui ne lui appartient plus? Le jeu des échanges ne doit-il pas durer une seule soirée? Perplexe, Jonas continue d'ignorer les appels à l'aide de son aîné, jusqu'à ce qu'un appel hautement prioritaire le fasse réagir.

— Venez souper, les garçons!

Bagarres et réflexions s'évanouissent aussitôt pour faire place à une bousculade vers la table de la cuisine. Joseph, Jonas et Jojo se précipitent vers leurs parents, qui les accueillent avec un sourire pâle et les traits tirés.

— Croquettes de poulet et frites! annonce leur papa. Pas très santé, mais...

— C'est ce qu'il y avait de plus simple, affirme leur maman.

— Pas de problème ! Moi, j'adore la simplicité ! déclare un Jojo rempli d'entrain.

Tous éclatent de rire. On s'attable, joyeux. D'ailleurs, le souper se déroule dans la plus parfaite harmonie. Les parents comme les enfants s'amusent, les tensions tombent, la fatigue disparaît, et le ketchup coule à flots.

Mais qui dit harmonie suggère aussi fausse note. Cette malencontreuse dissonance va survenir bientôt, après la deuxième portion de frites. À la place de Joseph, je me dépêcherais de finir mon assiette, car bientôt il ne pourra plus manger. Sauf que… comme personne ne sait encore prévoir l'avenir, Joseph n'a pas la moindre idée de ce qui l'attend. Je dois donc poursuivre, même si je suis contre le gaspillage de nourriture. C'est la mère qui commence :

— Joseph, à propos de ta demande…

L'aîné garde le nez dans son assiette, trop occupé à engouffrer son mets favori. La quantité phénoménale de gras saturé que contiennent les croquettes et les frites ont englué son cerveau. Joseph ne voit toujours pas l'abîme qui est en train de s'ouvrir sous ses pieds, et sa casquette de capitaine ne pourra pas lui servir de parachute.

Malheureusement, le père n'a aucune pitié pour les frites qui refroidissent. Il poursuit :

— Nous avons réfléchi, ta mère et moi… Nous ne pouvons pas t'accorder la faveur que tu nous as demandée.

La bouche pleine, Joseph cesse de mastiquer : il vient de saisir à quoi ses parents font référence. Subitement, il n'a plus faim. Sa déception est vive, il se croyait si près du but… Mais quelque chose d'autre le préoccupe. Joseph craint par-dessus tout que ses parents révèlent à voix haute cette demande qu'il leur a faite en secret. Alors, malgré l'énorme boule de pommes de terre qui gonfle ses joues, Joseph s'empresse de dire, sans postillonner, et c'est un exploit en soi :

— D'accord !

Et il replonge le nez dans son assiette maculée de ketchup. J'ouvre ici une parenthèse pour vous confirmer, si besoin est, que nous avons tous une personnalité unique, des traits de caractère qui nous sont propres et que, si nous ne réagissons pas comme d'habitude, les autres s'en étonnent souvent. Ainsi Joseph n'est pas du genre à accepter les refus sans protester, disputer et revenir à la charge. Toute cette journée en est la preuve: Joseph est déterminé et persévérant. Alors, quand ses parents constatent que leur fils aîné accepte avec autant de facilité leur refus, ils s'inquiètent. Au grand désespoir de Joseph, ils mettent les points sur les i pour vérifier s'il a bien compris. Son père demande:

— Veux-tu que nous t'expliquions nos raisons?

Joseph sent sa gorge se serrer.

— Non, non. Ça va.

Sa mère insiste.

— Il est normal que tu veuilles connaître nos motivations, mon garçon. Nous sommes prêts à te les expliquer.

Joseph avale avec difficulté.

— Pas nécessaire.

Le garçon se met à jouer avec sa dernière frite dans son assiette. Il s'y accroche comme à une bouée de sauvetage. Mais quand le bateau est pourri, même les bouées tombent en morceaux. Papa et maman assènent donc le coup final, en déclarant l'un après l'autre:

— Hier, nous t'avions dit oui, mais ton résultat désastreux de dix pour cent nous a fait réfléchir. Alors, tant que tu ne feras pas plus d'efforts à l'école…

– … Jojo reste là où il est, et toi, tu restes avec Jonas. Oublie cette idée d'avoir la petite chambre juste pour toi. Tu t'y installeras plu…

— QUOI? s'écrie Jonas, assis au bout de la table.

À ce moment précis, Joseph aimerait que sa bonne fée le transforme en mouche à fruits ou en miette de pain. Il voudrait DISPARAÎTRE! Mais les bonnes fées prennent parfois des vacances dans le Sud et laissent tomber les aînés. Joseph se retrouve fin seul pour affronter l'ouragan.

Les oreilles rouges, les narines gonflées, le front plissé, Jonas bouillonne. L'index pointé vers Joseph, il éclate :

— Menteur ! Tu m'as dit que c'était un jeu !

— Menteur ! Menteur ! répète en sourdine Jojo, qui, à vrai dire, se sent peu concerné par la dispute, puisque, de toute façon, il garde sa chambre.

— Tu savais que tu allais déménager ! Et tu n'as même pas eu le courage de me le dire. Peureux !

— Peureux, peureux ! reprend Jojo, ravi de s'amuser.

Sous le feu nourri des insultes, Joseph reste muet. Que peut-on faire de mieux quand ses plans ultrasecrets sont dévoilés au grand jour ? Pourtant, il trouvait tout à fait légitime de demander à ses parents d'avoir sa chambre. Joseph croit qu'à presque dix ans il le mérite. Ses intérêts changent, il vieillit. Il se doutait bien cependant que Jonas n'accepterait pas facilement la nouvelle. Car, dorénavant, il y aurait la chambre du grand et la chambre des petits, ce qui, avouons-le, n'était pas sans plaire à Joseph.

Les reproches fusent, tels des feux d'artifice allumés par accident.

— Tu m'as manipulé ! gronde Jonas.

— Tu m'as mali... mani... plumé ! glapit Jojo.

— Et puis, bon débarras ! Pars quand tu veux ! En passant, tu pues, Joseph !

— Tu pues, tu pues, tu pues…

L'aîné hausse les épaules. Il croyait, ou du moins avait-il essayé de s'en convaincre, qu'en mettant ses frères devant le fait accompli, il serait plus facile de leur faire digérer le déménagement. Pour un chef de sa trempe, c'était une grosse erreur de stratégie ou, malgré ce qu'il en pense, une manifestation de sa grande naïveté.

Joseph déniche tout de même au fond de lui l'audace de répliquer à Jonas :

— Tu devrais être content. Si je prends la petite chambre, c'est toi qui vas devenir le patron de la grande. Tu seras enfin le plus vieux !

— Si c'est si agréable d'être le patron, pourquoi veux-tu déménager? Hein, dis-moi donc! Pourquoi veux-tu avoir ta chambre à toi tout seul?

— Je suis l'aîné! rétorque Joseph, piqué au vif. J'ai droit à certains privilèges.

— Privilèges, mon c…

— Jonas! rugit sa mère. Fais attention à ce que tu vas dire!

— De toute façon, nous en avons assez entendu! tranche le père. J'ignore ce que vous avez manigancé aujourd'hui, mais votre mère et moi sommes fatigués. Je vous veux au dodo dans un quart d'heure. D'ici là, pas un mot!

Les parents se lèvent pour desservir. Jonas se croise les bras et tourne le dos à Joseph. Son frère se croise les bras à son tour, puis lui tourne le dos. D'un air désolé, Jojo regarde ses deux aînés. Ils avaient pourtant tellement de plaisir tous les trois...

Au bout de quelques minutes, qui paraissent une éternité, Jojo retrouve le sourire. Une bonne idée a germé sous son casque de vélo. Sur la pointe des pieds, il va vers Joseph et lui tapote l'épaule. Il lui dit quelques mots à l'oreille. Après une courte hésitation, Joseph fait signe que oui. Encouragé, Jojo s'approche de Jonas, lui chatouille le coude pour ensuite lui parler à l'oreille. Cette fois, la réaction est plus lente à venir. Le cadet n'est pas facile à convaincre. Jojo lui murmure autre chose. Jonas jette un coup d'œil à son aîné, qui esquisse un sourire repenti, puis il acquiesce. Alors, Joseph tend la main à Jonas, qui la serre de bonne foi. Satisfait, Jojo les invite à le suivre dans la plus grande discrétion. Les frères Lachance quittent la cuisine d'un pas feutré.

CHAPITRE 11

On entend des chuchotements dans la petite chambre plongée dans la pénombre. Les conspirateurs sont nerveux...

— Aïe! Tu m'écrases le bras, Joseph!

— Désolé, Jonas, mais je suis vraiment coincé.

— Fait chaud, soupire Jojo.

— Chut! murmure une quatrième voix.

Mais elle vient d'où, celle-là! Un, deux, trois... Les frères Lachance sont bien trois! Alors, qui a parlé?

— Jojo, lâche ton toutou jaseur! peste Joseph. On va se faire découvrir, s'il parle encore.

— Ce n'est pas un toutou, bon!

— Chut!

— Jojoooo!

— Ce n'est pas moi!

— CHUT, vous deux! Ils arrivent.

Fébriles, Jonas, Joseph et Jojo tendent l'oreille. Les pas se rapprochent. Le plancher de la chambre craque. Papa et maman sont là. Soucieux, ils demandent:

— Les gar...?

— SURPRISE! hurlent les frères Lachance, en rabattant la douillette.

Les parents sursautent et poussent un cri à glacer le sang. Sous le choc, ils portent la main à leur cœur, puis cessent de respirer… une bonne seconde! Trois têtes ébouriffées les observent, le visage fendu d'un immense sourire. Jojo, Jonas et Joseph sont couchés côte à côte dans le lit du plus jeune. Ils rient sans pouvoir s'arrêter.

Malgré leur fatigue, papa et maman rient aussi un bon coup.

— Quelle belle façon de terminer la journée! disent-ils.

Ce qui signifie «Enfin, la journée est finie!», mais que cela reste entre nous. Les garçons sont si heureux d'avoir pris leurs parents par surprise qu'il ne faudrait pas gâcher leur joie.

Tous y ont trouvé leur compte. Comme il l'espérait depuis le matin, Jonas a vu ses parents bondir de peur! Nous sommes loin du mégasaut de trampoline qu'il anticipait, mais vaut mieux un bond de crapaud que rien du tout. Bon perdant, Joseph ne regrette rien, même s'il est conscient que sa note trafiquée de 10 % a fait basculer la décision. Un chef doit savoir courir des risques et en assumer les conséquences. À défaut d'avoir gagné une chambre, il a tout de même recruté un jeune mousse. Et un capitaine a toujours besoin d'un nouveau matelot sur son navire. Quant à Jojo, il sourit à ses parents tout en pressant la main de son lutin jaseur, qui siffle des chut! en treize langues.

Avec son projet de cachette sous la douillette, il a réussi à réconcilier ses frères, ce qui est une grande victoire. N'a-t-il pas joué comme jamais avec eux? Décidément, Jojo a passé la meilleure journée de sa vie!

Papa et maman sont les meilleurs parents du monde, puisqu'ils permettent à Joseph et Jonas de rester pour la nuit dans la petite chambre. Soyons francs! Ils n'ont ni la force ni le courage de transporter le matelas de Joseph, puis de refaire les lits dans la chambre des aînés. Ils vont même jusqu'à prêter leurs sacs de couchage aux deux plus vieux pour qu'ils dorment sur le matelas posé sur le sol. Joseph et Jonas sont à l'étroit, mais en camping, ne le sommes-nous pas toujours un peu? Tout le monde se dit bonne nuit et papa éteint la lampe de chevet.

Dans le noir, Joseph s'imagine dans la couchette de son transatlantique, et il est content. Jonas se croit sous la tente, guettant les feulements des tigres, et il est heureux. Plus pratique, Jojo pense que, tant qu'à tomber en bas du lit pendant la nuit, autant aller dormir par terre avec ses frères. Alors, il prend sa doudou et s'installe tout contre Jonas, qui maugrée un peu, vu le manque d'espace. Jonas se retourne et pousse Joseph, qui se retrouve le nez collé contre le mur. L'aîné ne proteste pas, car il s'est déjà endormi.

Maintenant, tout est calme dans la maison des trois Jojo. Oui, tout est calme… jusqu'à demain matin ! Car Joseph est en train de rêver. Et il se voit au

sommet d'un lit à trois étages avec échelles escamotables et toboggans en spirale. N'est-ce pas mieux que d'avoir sa chambre juste à soi?

FIN

As-tu lu les autres séries de Lucie Bergeron ?

Série Dagmaëlle

Dagmaëlle 1 – Les Compagnons des Hautes-Collines
Dagmaëlle 2 – L'Île de l'Oubli
Dagmaëlle 3 – La Pierre invisible

Série Abel et Léo

Abel et Léo 1 – Bout de comète!

Abel et Léo 2 – Léo Coup-de-vent!

Abel et Léo 3 – Sur la piste de l'étoile

Abel et Léo 4 – Un Tigron en mission
Abel et Léo 5 – Le Trésor de la cité des sables
Abel et Léo 6 – Le Monstre de la forteresse

Série Solo

Solo 1 – Solo chez madame Broussaille

Solo 2 – Solo chez monsieur Copeau

Solo 3 – Solo chez madame Deux-Temps

Solo 4 – Solo chez monsieur Thanatos

Solo 5 – Solo chez grand-maman Pompon

Solo 6 – Solo chez Pépé Potiron

Solo 7 – Solo chez Mama Marmita

Solo 8 – Solo chez Monsieur Magika

De la même auteure

Le Rossignol de Valentin, Les publications Graficor, 2001.
Panique en musique, Les publications Graficor, 2001.
Comptines pour le jour et la nuit, Les publications Graficor, 2001.
Le Furet, Les publications Graficor, 2001.
Dormira ? Dormira pas ?, Les publications Graficor, 2001.
Écris-moi vite !, Les publications Graficor, 2001.
As-tu de l'imagination ?, Les publications Graficor, 2001.
Pile ou face, Les publications Graficor, 2001.
Le Tournoi des petits rois, Dominique et compagnie, 1999.
Zéro mon grelot !, Dominique et compagnie, 1999.
La Proie des ombres, Dominique et compagnie, 1998.
Le Secret de Sylvio, Dominique et compagnie,1998.
La Lune des revenants, Dominique et compagnie, 1997.
À pas de souris, Héritage Jeunesse, 1997.
Le Magasin à surprises, Héritage Jeunesse, 1996.
Zéro mon Zorro !, Héritage Jeunesse, 1996.
Un micro S.V.P. !, Héritage Jeunesse, 1996.
Zéro les ados !, Héritage Jeunesse, 1995.
Zéro les bécots !, Héritage Jeunesse, 1994.
Un voilier dans le cimetière, Éditions du Boréal, 1993.
La Grande Catastrophe, Héritage Jeunesse, 1992.
Un chameau pour maman, Héritage Jeunesse, 1991.